Le cœur
sur la main

Conception graphique, mise en pages et illustrations:
Mance Lanctôt, Fig. communication graphique
Couverture: *Les trois sœurs* (détail), acrylique sur toile,
135 x 105,5 cm, Mance Lanctôt, 2008
Dépôt légal: 3e trimestre 2009
© Éditions Mémoire d'encrier et les auteurs

Catalogage avant publication de
Bibliothèque et Archives nationales du Québec
et Bibliothèque et Archives Canada
Castera, Georges, 1936-
    Le cœur sur la main
    (L'arbre du voyageur)
    Poèmes.
    Pour enfants de 8 ans et plus.
    ISBN 978-2-923713-04-5
    I. Lanctôt, Mance, 1962- . II. Titre.
    PQ3949.2.C27C63 2009   j841'.914   C2009-941967-X

Nous reconnaissons le soutien du Conseil des Arts du Canada.

Mémoire d'encrier
1260, rue Bélanger, bureau 201
Montréal (Québec) Canada
H2S 1H9
Tél.: 514 989-1491
Téléc.: 514 938-9217
info@memoiredencrier.com
www.memoiredencrier.com

Georges Castera

Illustré par Mance Lanctôt

Le cœur
sur la main

Collection
L'arbre du voyageur

Pour Tina.
Pour Adler, Boris, Raïsha et Aïnah.

Le coupable

Ba, Be, Bi, Bo, Bu,
dites-moi lequel
a bu?

Ba ou Be?
peut-être Bi?
ou peut-être Bo?
–Non, non,
c'est Bu qui a tout bu.
C'est lui et pas un autre.

Comme un oiseau...

Comme un oiseau,
j'ai grandi dans un œuf.
Je suis resté là plusieurs
jours, plusieurs mois
sans voir le jour,
jusqu'au jour où le temps
m'a fait sortir oiseau printanier,
petit oiseau frappant du bec
en quête de liberté,
en quête de pouvoir inventer,
de marcher sur les cailloux rieurs,
saluant l'eau qui coule,
essayant de chanter
comme un joli oiseau
du printemps.

Le mille-pattes

Un mille-pattes
voulait coûte que coûte
chaussures à ses pieds.
Aussitôt il se mit à compter
500 de chaque côté,
1000 pattes,
c'est déjà beaucoup trop.
Il lui faudrait acheter
mille chaussures sur mesure.
Comment faire ?
La vie est vraiment trop chère
pour avoir chaussures à ses pieds
Il décida donc de rester
les pattes à même la terre.

Le petit voilier

Un petit voilier
tout gai, tout content,
se demande à quoi jouer,
à quoi passer le temps
quand on est seul
et qu'on a le pied marin ?

Le vent tout malicieux
lui répond :
à être plusieurs
comme les grands,
comme les bateaux,
qui sortent du port
pour s'en aller très loin
très loin.

Destination inconnue

L'arbre solitaire
et solidaire
multiplie ses branches
nomades pour oiseaux
volages.
Chose dite,
chose faite.
L'arbre solitaire
et solidaire
se couvre d'oiseaux
volants,
prêts à s'envoler.
Va-t-il s'envoler
du jardin,
notre arbre musicien ?
Va-t-il s'arracher
de la terre avec autant d'ailes
de toutes les couleurs ?

J'ai peur
de le voir partir,
peur de rester
un de ces matins
sans arbre,
sans ombre,
sans fruits
et sans bruits
d'oiseaux
dans mon jardin.

Le chat chasseur

Donne ta langue au chat
tant que tu voudras.
Le chat aime manger du poisson,
mais le chat peut bien manger
du rat
dès qu'il y a rareté
de poisson.
Le rat lui sert alors
de repas
et ça lui met l'eau
à la bouche
et le poisson, lui,
il a le temps de faire du crawl,
de la brasse,
et même de nager sur le dos.
Dans la langue des chats,
au fond,
le malheur des uns
fait le bonheur des autres.

Le duel

Un jour j'ai bravé
mon squelette,
l'invitant à se battre
en duel.

«J'aurai ta peau»
fut sa seule réponse.

Depuis, j'attends, perplexe,
un parapluie désossé
dans la main.

J'habite une ombre inavouée,
la mienne,
en plein soleil.

Jeu de vilains

Pour rigoler entre copains
nous avons poussé la mer
avec le pied
comme une barque.
Regarde la mer s'en aller
vers d'autres pays.
Nous avons rigolé
puis nous sommes restés
tout bêtement à regarder
la mer s'en aller,
s'en aller maintenant
telle une barque
poussée du bout du pied
par la marée.

L'oiseau des merveilles

Entre sommeil et soleil
arriva tout d'un coup,
d'un seul coup,
l'oiseau des merveilles,
le bel oiseau
à la longue queue multi,
à la longue queue
multico, multicolore
qui peut d'un coup d'aile
tout changer en pluie.
Brusquement les rigoles
se remplissent,
les libellules semblent coudre
l'eau qui coule
en passant et repassant
entre sommeil et soleil.

C'est le vent fou

Fouuu! fouuu! fouuu!
c'est le vent,
couchez-vous!

C'est le vent
qui vient.
Entends passer
le vent fou
dans les branches,
fouuu! fouuu!

Les feuilles tremblent,
les branches ont peur.
Il est là le vent,
le vent méchant
qui joue à cache-cache
avec les arbres
en renversant
le linge qui sèche.

Et le linge qui sèche
se dépêche de sécher
pour entrer se cacher
bien au fond
des tiroirs,
fouuu ! fouuu !

Mais il arrive parfois
que le linge se déguise
en fantôme
pour faire peur
fouuu ! fouuu !
au vent fou
et voilà le vent
si fier, si méchant,
le vent qui s'enfuit
à son tour
en coup de vent
fouuu !

La lune

La lune est déjà là
tel un gros bouton
sur le visage du ciel.

Petite lune ronde,
petite lune bouffie,
viens jouer avec moi.
Dans mon poème
on sera deux,
toi et moi,
petite lune
boutonneuse
au tatouage de pluie
jusque dans le cœur.

Viens jouer avec moi,
on sera deux
à se raconter des histoires
entre ciel et terre,
des histoires à faire rire
le soleil.

Odile

Une petite fille
toute menue, bien jolie
avait une peur bleue
des rivières dont on
voyait à peine le fond.

Cette petite fille toute menue,
bien jolie faisait peine à voir,
elle s'appelait Odile
et elle croyait ferme
que l'animal à la gueule longue,
puante et remplie
de dents pointues,
cet animal qui donne
aux rivières des yeux exorbitants
avait dans sa tête
un disque à répétition
qui lui disait :
Croque Odile !
Croque Odile !
Croque Odile !
alors même adulte,
Odile a gardé une peur bleue
des rivières et
des crocodiles.

Le mot *nuage*

Quel toupet!
Les canards sauvages
ont confisqué le mot
nuage
comme si c'était à eux
ce mot si léger,
si doux au toucher.
S'il n'appartient désormais
qu'aux canards sauvages?

Et moi alors?
Moi qui suis dans les nuages
rêvant à n'importe quoi,
je risque de tomber de très haut.
Où vais-je poser le pied
si le mot *nuage*
n'existe plus,
s'il n'appartient désormais
qu'aux canards sauvages?

L'oiseau musicien

Un oiseau musicien
Inspiré on ne peut plus,
– des notes plein la tête,
des notes plein le bec –
décide d'acheter un piano
chez l'ami Dodo
pour composer un concerto
en do,
mais comment mettre un piano au chaud
dans son nid d'oiseau ?

À force de chercher la solution,
le concerto en do
s'est envolé en trémolo
allegreto presto.

La coccinelle

La coccinelle, c'est
un petit œil qui apprend
à marcher
parmi les feuilles
sans se faire attraper,
sans savoir où traîner
sa bosse,
alors il fait de l'œil
au paysage
pour s'amuser.

Le chat qui dort

Il ne faut pas réveiller
un chat qui dort,
un chat qui joue
au chat et à la souris
s'il dort,
il va perdre sa souris,
il va perdre son sourire.

Il ne faut pas.
Le chat d'or dort,
laisse-le dormir
sur son or.

Le chat noir
quand il dort,
il ne faut pas le réveiller
non plus.

Un chat qui dort
tout noir comme la nuit,
il a une peur bleue
du ciel bleu
alors il dort,
il s'enferme dans le noir
de ses yeux.
C'est là qu'il arrive
à rêver
qu'il est un chat d'or
qui dort.
Il ne faut pas réveiller
le chat qui dort.

Le jeu de l'araignée

L'araignée se suspend
à son fil.
Qu'est-ce qui lui prend
l'araignée ?
Elle ne sait pas ce qui lui pend
au nez ?

Tomber de si haut !
Et si le fil se casse ?
et si elle tombe, vlan !
sur le dos ?

Toi qui lis mon poème ou
toi qui le récites
va dire à l'araignée
de ne pas jouer à l'acrobate
même si elle a plusieurs pattes
dans son jeu dangereux.

L'ami Pierrot

À la maison, nous avions un ami
qui ne parlait jamais,
un ami français.
Pourtant, il en savait des choses !

On le consultait en silence
et, lui, il nous refilait
des mots tout neufs
à mettre dans nos phrases ébréchées,
puis quand il nous fallait
ajouter ou enlever un r, un s
ou un t à nos devoirs de maison,
c'est à lui qu'on s'adressait
tout naturellement.

Cet ami guérit la blessure des mots,
il souffle nos bougies d'anniversaire
quel plaisir !
en nous aidant à changer d'année.

Dans notre petite tête où
tout est nonchalamment de rigueur,
un verbe est un verbe,
ce n'est pas de l'herbe.
Le plus beau des verbes,
c'est le verbe aimer
naturellement.

L'herbe toujours au présent,
jamais au passé du pré sous nos pieds.
Les mots ont une odeur de cire d'abeille.
On dirait qu'ils peuvent voler, les mots
en écoutant leur musique :

merveille, espérance, retour,
école, nuit, feuille,
rire, ballade, trouvaille...

Par affection, on appelait cet ami
Petit Larousse, et nous l'aimions
en silence.

Père disait : cet ami, mes enfants,
consultez-le abondamment
car il sème à tout vent.

Le clou

Le fils du maçon est resté
suspendu à un clou.
Le maçon pleure son fils,
le maçon une croix à son cou,
le fils du maçon au clou.

Mon enfant, mon frère,
Mon enfant, ma sœur,
regarde danser mon cœur
au bout du fil
de ton beau cerf-volant.
C'est bien plus gai,
plus dansant.
Il n'y a ni blessure
ni sang,
rien que des couleurs
vives
dans leur plus bel éclat,
prêtes à danser
avec le vent.

Drôle d'oiseau

Je suis un oiseau
à quatre pattes
dont la queue
dit bonjour
au vent qui passe.

Je cherche une branche
pour me brancher.
Je cherche le vent
pour me venter,
me vanter de voler
sans battre des ailes.

Je suis un oiseau
sans ailes, sans oiselle
qui apprend à voler,
un drôle d'oiseau.

&

Un jour
en ouvrant un livre
il y avait devant moi
ce signe étrange
assis sur le derrière,
une jambe en l'air.
Eh oui! c'est bien moi,
me dit-il,
qui fait la liaison
entre l'air et la terre,
entre toi et moi,
même si j'ai l'air
de n'importe quoi,
même si j'ai l'air
d'avoir la jambe en l'air.

L'ivresse des mots

Pa, Pe, Pi, Po, Pu,
l'oiseau n'a pas pu
prendre son envol.

Ba, Be, Bi, Bo, Bu,
il avait trop bu
l'eau de la mare
Ma, Me, Mi, Mo, Mu.
avec des mots
qui ont trop bu
Ba, Be, Bi, Bo, Bu.

Seule la musique de ses ailes
La, Le, Li, Lo, Lu
s'entend dans la lumière du jour
Ja, Je, Ji, Jo, Jour.
Je joue à l'oiseau-magie qui s'envole
avec des mots
qui ont trop bu
Ba, Be, Bi, Bo, Bu.

L'anniversaire

C'est mon anniversaire.
1, 2, 3, 4 bougies
sur mon joli gâteau :
j'ai quatre ans.
Le vent fâché
de n'être pas de la fête
passe par la fenêtre,
il souffle les bougies
1, 2, 3, 4 avant moi
puis il souffle les chaises,
les verres, les tables
et les invités sont emportés
par le vent mécontent.
Vous viendrez manger
le gâteau avec moi s'il en reste.
Au revoir mes amis,
à l'année prochaine.
Vous viendrez manger
le gâteau avec moi s'il en reste.

La rue

Une rue
ça laisse passer
les gens à droite,
ça laisse passer
les gens à gauche
et puis les marchands de journaux
et puis les marchands de gâteaux
et les mamans et les papas
« bonjour madame ! bonjour monsieur ! »
Et les autos bien fières
les autos sans manières
passent et repassent,
quelle impolitesse !
en oubliant
d'enlever leurs chapeaux
de roue pour saluer
les passants.
Eh oui ! eh oui !
ainsi va la vie
dans nos rues.

Le papillon

Un papillon sur une branche
blanche, blanche
se balance une, deux,
le monde s'en balance.
Le papillon va,
le papillon vient
au gré du vent.
Il passe, il repasse,
le monde s'en balance.

Un papillon c'est léger,
juste un petit bout d'arc-en-ciel,
quelques couleurs sur
une branche
blanche, blanche,
il se balance, il se balance,
le monde s'en balance.

Le miroir

Il y a un grand,
grand miroir
devant la fenêtre
et dehors il pleut à verse.

Le miroir se regarde,
il se regarde,
et pour une fois qu'il
n'est pas regardé,
il prend son temps
à se regarder.
Il est tout étonné
de voir, lui, le miroir,
qu'il est en train de pleurer,
de pleurer sans faire tomber
une goutte d'eau
sur le plancher.

Le disparu

Un jour j'ai rêvé
que j'ai laissé ma maison
sans rien dire à mes parents.
Je voulais jouer au grand
mais en marchant,
Je me suis perdu
par beau temps
dans les bois d'un cerf.

On m'a cherché,
cherché
pendant des jours et des jours.
On m'a cherché
pendant des mois et des mois
et même des années.
Moi, je marchais
tranquillement
sans voir la fin
de mon voyage sous bois.

Peut-être y avait-il trop de distance
entre rêve et réalité ?
Au réveil, j'ai promis
à maman et à papa, tout sourire,
de ne jamais plus
m'éloigner de ma maison.

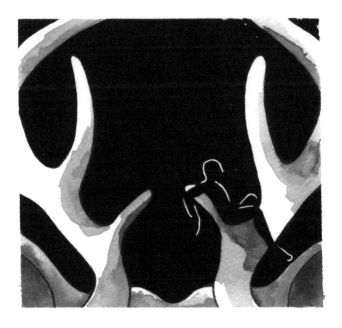

Les rats

Prenant plume et papier
les rats ont essayé
d'écrire avant nous
pour raconter leur histoire
de rats,
ils ont voulu prendre un
raccourci,
faire un saut
de rat
et grignoter le temps
de temps en temps,
hélas ils n'ont fait
que des ratures,
même de véritables trous
de rats.

Le plus dur dans cette affaire,
l'effort suprême pour eux,
c'est qu'ils voulurent, rataplan !

écrire des mots rares
au ras du papier à écrire
en le grignotant des dents.
Ils ont tout raté,
les rats.

L'enfant poète

Je suis un enfant trouvé
sous emballage de mots
par mon père et ma mère.

Les journaux racontent
que j'ai été enlevé très tôt
à leur affection
par un dictionnaire.

Depuis, poète à ma manière,
je me nourris seulement
de mots.

L'absence

Le mal de mer,
grand-mère,
moi je sais ce que c'est.
Je sens la tête
comme emportée par les vagues
du vide.
Je sens le ventre qui s'étire,
qui monte et qui descend,
mais le mal de toi
est-ce au doigt
que ça me prend ?
un grand vide
où je me noie.
Je sens partout,
grand-mère,
l'absence au fond de moi
comme un grand vide
sans toi, grand-mère,
un grand vide
où je me noie.

My dog

Tiens !
mon chien
a cessé de parler.
Il aboie maintenant,
lui qui parlait
couramment l'anglais :
my taylor is rich
my taylor is not rich.
Il a cessé de lire
le journal du matin.
Il a pris mon cahier d'écolier
pour écrire
qu'il est triste
de mener une vie
de chien,
mon chien anglais,
my dog !

Mon rire

J'ai mis du sel
sur mon rire
pour l'attraper
et le mettre en cage
et lui parler
en tête-à-tête,
lui dire qu'il est
à moi.
Mais mon rire,
Il fait la tête,
Il se fâche
et puis s'en va.
Lequel de vous,
Yvon, Yvonne,
Lucien, Lucienne,
m'apportera le beau
rire de l'amitié ?

Poème

Pour écrire un poème,
je choisis un mot,
puis un autre mot
tout aussitôt :
ils font la paire,
puis un autre mot
tout étonné
d'être là
entre les deux
qui rient aux
éclats
de l'intrus
arrivé après eux
sans connaître
les règles du jeu.
Mais rira bien
qui rira le dernier !

Il suffit de prendre
le bon pied,
de prendre au mot
les mots arrivés
en premier.

Un plus deux :
trois.
Juste le temps
de signer
Cas te ra.

Table des poèmes

Achevé d'imprimer au Canada en septembre 2009
sur les presses de Transcontinental Métrolitho
pour le compte des éditions Mémoire d'encrier.